Glücklich bis zur Nasenspitze © 2005 Loewe Verlag GmbH, Bindlach

本书经由北京华德星际文化传媒有限公司代理,由德国Loewe出版社
授权贵州人民出版社在中国大陆地区独家出版.发行

图书在版编目（CIP）数据

幸福到了鼻子尖 /（德）莱德尔著；克劳莎尔绘；孔杰译.
—贵阳：贵州人民出版社，2007.10（因为我爱你系列）
ISBN 978-7-221-07881-0

Ⅰ.幸… Ⅱ.①莱… ②克… ③孔… Ⅲ.图画故事—德国—现代 Ⅳ.①I516.85

中国版本图书馆CIP数据核字(2007)第151433号

因为我爱你系列

幸福到了鼻子尖

文 / [德]卡特娅·莱德尔

图 / [德]菲利克斯·莎茵博格

译 / 孔 杰

策划 / 远流经典

执行策划 / 颜小鹏

责任编辑 / 钱海峰 李奇峰

美术编辑 / 曾 念 责任印制 / 孙德恒

出版发行 / 贵州出版集团 贵州人民出版社

地址 / 贵阳市中华北路289号 电话 / 010-85805785（编辑部）

印刷 / 北京国彩印刷有限公司（010-69599001）

版次 / 2007年12月第一版 印次 / 2014年9月第十四次印刷

成品尺寸 / 155mm×170mm 印张 / 3 定价 / 38.40元（全3册）

蒲公英童书馆微信公众帐号 / pugongyingkids

蒲公英童书馆官方微博 / weibo.com/poogoyo

蒲公英童书馆 / www.poogoyo.com

蒲公英检索号 / 080020303

幸福到了鼻子尖

[德]卡特娅·莱德尔 文

[德]扎比内·克劳莎尔 图

孔杰 译

贵州出版集团 G 贵州人民出版社

幸福到了鼻子尖，

我依偎在你的怀里。
你的手掌那么柔软，你的身体那么温暖，
你轻轻地摇着我，转着圈，哼着小曲。
我轻轻地嘟哝着，感到幸福，
因为有你在身边。

幸福到了鼻子尖,

我们在草丛里尽情地玩闹,

绝不会因为过分而生气。

我们推搡着,追逐着,打闹着,

翻着跟头嬉戏着,

这就是我想要的生活!

幸福到了鼻子尖,

我愿意单独和你在一起,

享受那份宁静。

阳光照耀着,

我们又迎来新的一天。

世界是那么纯净,

我就喜欢这样的生活!

幸福到了鼻子尖，

我愿意飞跃云间，
亲身体验这种冒险。
自由地穿过密林，闯过沙漠，
微笑着面对一切危险。
我将成为世界的英雄，
天空、大地都属于我！

幸福到了鼻子尖，

我向世界举目望去，

在群山环绕间，

我不过是一只小老鼠。

但我可以攀得高些，再高些……

距离天空近些，再近些……

去给太阳一个问候，

这种感觉妙不可言！

幸福到了鼻子尖,

又看到你愉悦的目光。
曾经为你倾注的爱,
又飞回我的身旁。
静静地注视你,轻轻地抚摸你,
像狮子一样守护着你。
能看着你实现愿望,
我会感到快乐无比!

幸福到了鼻子尖，

我在你们的环绕中感到温暖。

所有的烦恼会像雪球一样，

慢慢地融化。

即使偶遇挫折，

我也不会被击倒。

有你们在身边，接住下落的我，

让我再次冲上山峰之巅！

幸福到了鼻子尖，

蠹虫悄悄钻着木板，
小老鼠偷咬着奶酪，
青蛙跳上荷叶张望，
野鸭在池塘里潜水，
小绵羊到岸边嬉戏。
而我靠着你的肩膀入睡，
幸福原来可以如此多样!